T5-AGT-099

Dans la même collection :

GUILLAUME APOLLINAIRE,
Petit bestiaire

ROBERT DESNOS,
La ménagerie de Tristan

GUILLEVIC,
Échos, disait-il

EDMOND JABÈS,
Petites poésies pour jours de pluie
et de soleil

JACQUES PRÉVERT,
Au hasard des oiseaux
et autres poèmes

JACQUES PRÉVERT,
Chanson des escargots qui vont à
l'enterrement et autres poèmes

JACQUES PRÉVERT,
En sortant de l'école
et autres poèmes

JACQUES PRÉVERT,
La pêche à la baleine

JACQUES PRÉVERT,
Le chat et l'oiseau
et autres poèmes

JACQUES ROUBAUD,
Menu, menu

RAYMOND QUENEAU,
Paris-ci, Paris-là et autres poèmes

CLAUDE ROY,
La cour de récréation

JOËL SADELER,
Les animaux font leur cirque

JEAN TARDIEU,
Je m'amuse en rimant

ISBN : 2-07-054601-2

Numéro d'édition : 99313
Loi n° 49-956 du 16 juillet 1949 sur les publications destinées à la jeunesse
Dépôt légal : mars 2001
Impression et reliure : Pollina s.a.,85400 Luçon - n° L82727C

enfance en poésie

JACQUES PRÉVERT

Chanson pour chanter à tue-tête et à cloche-pied

suivi de

Le dromadaire mécontent

Illustrations
Jacqueline Duhême

Gallimard Jeunesse

Citadelle imprenable, la poésie, ou ville ouverte ? Les deux et aucune à la fois. Il suffit de pousser la porte des mots qui n'est jamais verrouillée et d'entrer dans le poème qui n'attendait que ça pour se mettre à chanter, à danser, à rire à mots déployés. Comme un accordéon ou comme le soufflet du forgeron. Mais que dites-vous là ? Ces choses-là n'existent plus. Justement, c'est le secret : il suffit de les nommer pour que les choses se mettent à exister, à danser, à chanter, à rire. La poésie, c'est un peu cela : faire exister ce qui n'existe pas. Le ciel par exemple qui n'est qu'un gaz, et pas bleu du tout ; le cœur qui pleure ou qui rit alors que le muscle du même nom se contente de battre le sang flic floc flic floc.

Ne parlons pas de l'âme que nul n'a jamais vue quand tout le monde sait qu'il faut la rendre pour mourir. Je vous le disais : poussez la porte des mots et vous entendrez sonner les cloches du réel, du possible, de l'impossible qui n'est pas français comme chacun sait. Car chaque mot a un son qui diffère selon la compagnie que le poète lui a choisie. Enfin : que le poème a choisie à la place du poète. Car le poète est une oreille d'abord puis un porte-voix. Il transmet ce qui lui est dicté par les mots qui lui viennent, les images qu'il voit, la musique qui le conduit. Le poème est la maison qu'il bâtit avec ces mots-là. Elle n'attend que vous pour faire la fête. Hop là, poussez la porte !

Guy Goffette

Chanson pour chanter à tue-tête et à cloche-pied

Un immense brin d'herbe
Une toute petite forêt
Un ciel tout à fait vert
Et des nuages en osier
Une église dans une malle
La malle dans un grenier

Le grenier dans une cave
Sur la tour d'un château
Le château à cheval
À cheval sur un jet d'eau
Le jet d'eau dans un sac
À côté d'une rose
La rose d'un fraisier
Planté dans une armoire
Ouverte sur un champ de blé
Un champ de blé couché

Dans les plis d'un miroir
Sous les ailes d'un tonneau
Le tonneau dans un verre
Dans un verre à Bordeaux
Bordeaux sur une falaise
Où rêve un vieux corbeau
Dans le tiroir d'une chaise
D'une chaise en papier
En beau papier de pierre

Soigneusement taillé
Par un tailleur de verre
Dans un petit gravier
Tout au fond d'une mare
Sous les plumes d'un mouton
Nageant dans un lavoir
À la lueur d'un lampion
Éclairant une mine

Une mine de crayons
Derrière une colline
Gardée par un dindon
Un gros dindon assis
Sur la tête d'un jambon
Un jambon de faïence
Et puis de porcelaine

Qui fait le tour de France
À pied sur une baleine
Au milieu de la lune
Dans un quartier perdu
Perdu dans une carafe
Une carafe d'eau rougie
D'eau rougie à la flamme

À la flamme d'une bougie
Sous la queue d'une horloge
Tendue de velours rouge
Dans la cour d'une école
Au milieu d'un désert
Où de grandes girafes
Et des enfants trouvés
Chantent chantent sans cesse

À tue-tête à cloche-pied
Histoire de s'amuser
Les mots sans queue ni tête
Qui dansent dans leur tête
Sans jamais s'arrêter

Et on recommence
Un immense brin d'herbe
Une toute petite forêt…
……………………………………

etc., etc., etc.

Le dromadaire mécontent

Un jour, il y avait un jeune dromadaire qui n'était pas content du tout.

La veille, il avait dit à ses amis : «Demain, je sors avec mon père et ma mère, nous allons entendre une conférence, voilà comme je suis, moi !»

Et les autres avaient dit : «Oh, oh, il va entendre une conférence, c'est merveilleux», et lui n'avait pas dormi de la nuit tellement il était impatient et voilà qu'il n'était pas content parce que la conférence n'était pas du tout ce qu'il avait imaginé : il n'y avait pas de musique et il était déçu, il s'ennuyait beaucoup, il avait envie de pleurer.

Depuis une heure trois quarts un gros monsieur parlait. Devant le gros monsieur, il y avait un pot à eau et un verre à dents sans la brosse et de temps en temps, le monsieur versait de l'eau dans le verre, mais il ne se lavait jamais les dents et, visiblement irrité, il parlait d'autre chose, c'est-à-dire des dromadaires et des chameaux.

Le jeune dromadaire souffrait de la chaleur, et puis sa bosse le gênait beaucoup ; elle frottait contre le dossier du fauteuil ; il était très mal assis, il remuait.

Alors sa mère lui disait : «Tiens-toi tranquille, laisse parler le monsieur», et elle lui pinçait la bosse. Le jeune dromadaire avait de plus en plus envie de pleurer, de s'en aller…

Toutes les cinq minutes, le conférencier répétait : «Il ne faut surtout pas confondre les dromadaires avec les chameaux, j'attire, mesdames, messieurs et chers dromadaires, votre attention sur ce fait :

le chameau

a deux bosses,

mais le dromadaire

n'en a qu'une !»

Tous les gens de la salle disaient : « Oh, oh, très intéressant», et les chameaux, les dromadaires, les hommes, les femmes et les enfants prenaient des notes sur leur petit calepin.

Et puis le conférencier recommençait : «Ce qui différencie les deux animaux, c'est que

le dromadaire

n'a qu'une bosse,

tandis que, chose étrange et utile à savoir,

le chameau

en a deux...»

À la fin, le jeune dromadaire en eut assez et se précipitant sur l'estrade, il mordit le conférencier :
«Chameau !» dit le conférencier furieux.

Et tout le monde dans la salle criait :

«Chameau, sale chameau, sale chameau !»

Pourtant, c'était un dromadaire et il était très propre.

Jacques Prévert

Jacques Prévert est né avec le siècle, le 4 février 1900, à Neuilly-sur-Seine. Il s'en est allé le 11 avril 1977, à Omonville-la-Petite.
Dans le recueil *Choses et autres*, il parle de la fête des premières années et aussi des difficultés que connurent ses parents. Jacques s'ennuie à l'école. Mais il aime la lecture et le cinéma. La guerre de 1914 interrompt sa scolarité. Dès treize ans, il tente de gagner sa vie en faisant toutes sortes de petits métiers. À vingt-trois ans, il devient figurant dans des films. Il fait la connaissance des surréalistes. Ses premiers poèmes sont publiés dans des revues. De 1932 à 1936 il rédige de nombreux textes pour le Groupe Octobre, troupe théâtrale engagée dans la vie politique et sociale. En 1935, Prévert travaille avec le cinéaste Jean Renoir au *Crime de M. Lange*, auquel il donne un ton de révolte anarchiste.

En 1936, il fait la connaissance de Marcel Carné. Il écrit les dialogues de films considérés aujourd'hui comme de grands classiques : *Drôle de drame* (1937), *Le Quai des brumes* (1938), et de nombreux autres.
En 1945, après avoir rassemblé les poèmes épars, dont Prévert ne se souciait pas beaucoup, son ami l'éditeur René Bertelé publie un premier recueil de ses textes, *Paroles*, qui connaît un immense succès. Ses poèmes sont mis en musique. Roland Petit crée le ballet de Prévert *Le Rendez-Vous*, musique de Kosma, décors de Brassaï, rideau de Picasso! Pour sa fille Michèle, Prévert écrit *Contes pour enfants pas sages* (1947), puis *L'Opéra de la lune* (1953). Ensuite paraissent ses recueils *Histoires* (1946-1963), *Spectacle* (1951), *La Pluie et le Beau Temps* (1953). Ses collages seront publiés dans *Fatras* (1966) et *Imaginaires* (1970). Avec René Bertelé il édite un ultime recueil *Choses et autres* (1972) où les souvenirs d'enfance côtoient les

témoignages de sa jeunesse d'esprit et de son goût pour la liberté. *Soleil de nuit* paraît après sa mort, en 1980 et *La Cinquième saison* en 1984.
Des poèmes comme des comptines, des ritournelles, des poèmes que l'on aime se réciter. Des mots qui jouent ensemble, une langue limpide comme le langage simple de l'enfance. Les poésies de Prévert n'ont pas toutes été écrites pour les enfants mais en pensant à eux et dans cet esprit d'enfance qui les caractérise. Il parle de la vie, de l'amour, de la liberté. Cela explique sans doute pourquoi chaque génération se retrouve dans la poésie de Prévert.
«L'enfant que j'étais, j'ai gardé ses larmes. Et j'ai gardé son rire. Et ses secrets heureux.» (Prévert)

Jacqueline Duhême

Son nom figure aux côtés de ceux de Paul Éluard, Jacques Prévert, Raymond Queneau, Claude Roy, Blaise Cendrars, Anne Philippe, Miguel Angel Asturias, Gilles Deleuze, Joël Sadeler... Elle entre à vingt ans comme aide d'atelier chez Henri Matisse. « J'ai tout appris chez ce grand maître », dit-elle. Jacqueline Duhême est une pionnière de l'illustration des livres pour enfants et on lui doit d'avoir amené les grands poètes de notre temps à la littérature pour la jeunesse.
Avec Jacques Prévert, elle a noué une amitié chaleureuse, solide, exigeante, qui a duré jusqu'à la disparition du poète. Prévert a tout de suite encouragé son talent et, en travaillant sur son œuvre, elle a développé un style très personnel, vif, coloré, plein de fantaisie poétique.